D1358343

Gallimard Jeunesse / Giboulées sous la direction de Colline Faure-Poirée

ISBN : 2-07-059452-1
Premier dépôt légal : avril 1996
Dépôt légal : mai 2005
Numéro d'édition : 135461
Loi n° 49956 du 16 juillet 1949
sur les publications destinées à la jeunesse
Imprimé en France par ***Partenaires-Livres***® (JL)

Benjamin le Lutin

Antoon Krings

GALLIMARD JEUNESSE / GIBOULÉES

Les lutins, ce n'est pas un secret, habitaient les forêts. Cependant, il arrivait parfois, il n'y a pas si longtemps, d'en voir dans les jardins. Mais rares sont ceux qui, comme Benjamin, y vivaient.
De la taille d'un pouce, Benjamin habitait une charmante petite maison qui ressemblait à un champignon.

S'il y faisait souvent la sieste, il ouvrait aussi de temps en temps un œil pour surveiller les fraises qui poussaient sous ses fenêtres et dont il était friand. Pourtant, il n'avait rien à craindre de ses voisins, bien au contraire. Tellement fiers d'avoir un lutin dans leur jardin, ils le gâtaient énormément.

Mireille l'Abeille, d'habitude économe, lui offrait régulièrement ses pots de miel et jamais Léon le Bourdon ne lui rendait visite les mains vides. Enfin, vous l'aviez compris, tous les insectes du coin chérissaient le petit bonhomme à la barbe blanche et chacun se vantait d'être son meilleur ami.

Jusqu’au jour, au triste jour, où une bourdonnante rumeur circula dans le jardin : leur lutin n’était en fait qu’un nain de jardin, un vulgaire nain de jardin comme on en voyait un peu partout aux alentours. Quelle importance ? Un lutin ne ressemble-t-il pas à un nain de jardin ?

Eh bien, détrompez-vous, l'importance était de taille, car à la différence des lutins, les nains de jardin avaient, je dois dire, une très mauvaise réputation. On leur reprochait souvent, un peu à tort, d'être des voleurs, des menteurs et bien d'autres choses encore.

Cela faisait maintenant trois jours que Benjamin, qui ignorait tout de la rumeur, n'avait pas reçu la visite de ses voisins. Comme il s'en inquiétait, il décida de se rendre chez Mireille dont la maison était la plus proche.
– Ohé Mireille ! Ouvre-moi ! cria-t-il en tambourinant à sa porte. Alors, on oublie ses amis ? Ça fait trois jours que j'attends mon petit pot de miel.

Soudain, quelque chose de très excité, de terriblement énervé, ouvrit la porte et cria très fort :
– Allez, ouste, dehors ! il n'y a pas de miel pour les vilains nains de jardin.
– Mais je suis un lutin ! s'écria avec indignation Benjamin.
Trop tard. La porte s'était déjà refermée sur lui. Il fut aussi bien reçu par Léon le Bourdon, et Siméon le Papillon lui réserva le même accueil.

Désormais, personne ne voulait lui parler ni même lui dire simplement bonjour. Et pourtant, le pauvre Benjamin était bien, je puis vous l'assurer, un lutin, un vrai lutin. La preuve en est qu'il quitta sa maison pour vivre dans la forêt, et ça, jamais un nain de jardin ne le ferait.

Il erra longtemps dans la forêt jusqu'à ce qu'il trouve un tronc d'arbre creux où il se réfugia. Un renard mangeur de lutin passait par là. Il tourna autour de l'arbre.
– Hum, je sens une bonne odeur de lutin, fit-il en glissant sa truffe par le trou où était passé Benjamin.

Alors une voix tremblotante dit :
– Je ne suis pas un lutin, je suis un nain de jardin, et les nains de jardin ont très mauvais goût, en plus ils digèrent très mal.
Puis Benjamin lâcha un petit pet très odorant.
– Pouah ! Quelle horreur ! s'écria le renard en se bouchant le nez, et sans demander son reste, il s'éloigna.

Pendant ce temps, les habitants du jardin eurent vent d'une autre rumeur qui disait exactement l'inverse de la précédente : Benjamin, mais vous le saviez déjà, était assurément un lutin. Tous, à commencer par Mireille, voulaient s'excuser auprès de lui. Ne le trouvant pas dans sa maison, ils le cherchèrent un peu partout avant de constater avec tristesse que leur lutin avait disparu.

Ce n'est que trois jours plus tard que Benjamin réapparut dans le jardin. La vie y était quand même plus douce, et surtout, on n'y rencontrait pas de renard, seulement des amis tout repentants qui l'attendaient avec des petits pots de miel et d'autres bonnes choses encore.